“四核心”方案食谱

早餐

椰香奶油南瓜粥

时间：10 分钟

2 ~ 3 人份

原料

1 包（280 克）冷冻的奶油南瓜块

1/4 杯罐装无糖椰奶，可根据需要多备一些椰奶

1/2 茶匙肉桂粉

1/4 茶匙橙皮屑

1/3 杯石榴籽

1/4 杯切碎的核桃仁（烤过的）

做法

1. 按照包装上的说明，在微波炉中加热奶油南瓜块。将南瓜块放到一个中等大小的碗中。用土豆捣碎器将其捣至顺滑，加入椰奶、肉桂粉和橙皮屑。

2. 用厨房纸巾盖住碗；微波炉加热 2 分钟或至热透，在加热过程中需搅拌一次。

3. 用勺子将粥盛入碗中。如果有需要，可以再多倒入一些椰奶。在粥上面放上石榴籽和核桃仁。

无麸质煎饼

时间：20 分钟

4 人份

原料

1/2 杯木薯粉

1/2 杯椰子粉

1 茶匙肉桂粉

1/8 茶匙粗盐

1 茶匙无铝泡打粉

1 茶匙橙皮屑或柠檬皮屑（可选）

3/4 ~ 1 杯杏仁奶或椰奶

1 根熟香蕉，捣碎

2 个大鸡蛋

1 茶匙香草精

1 汤匙椰子油，根据需要增加

装饰：如酥油、蓝莓、草莓片、香蕉片、打发的无糖椰浆 *（可选）

* 这是罐装产品，比椰奶浓。请选用无糖的。如果你找不到无糖椰浆，你可以用浮在一罐全脂椰奶顶部的奶油，那也是椰浆。

做法

1. 在一个中等大小的碗中将木薯粉和椰子粉、肉桂粉、盐、泡打粉和橙皮屑混合在一起；静置一会儿。

2. 取一个容器，将杏仁奶、香蕉、鸡蛋和香草精混合在一起，搅拌至顺滑。将杏仁奶混合物倒入木薯粉混合物中，搅拌至顺滑。

3. 将 1 汤匙椰子油倒入平底锅中，用中火加热。一次将大约 1/4 杯面糊倒入锅中，如有需要，将面糊摊开。加热 2 分钟或至面糊顶部和底部出现气泡并呈金黄色。翻面，再加热 1 ~ 2 分钟。（根据需要在锅中加入更多椰子油。）

4. 如果需要，可装饰后趁热食用。

墨西哥牛油果烘蛋

时间：25 分钟

4 人份

原料

2 个大的熟牛油果

4 个大鸡蛋

1/4 茶匙孜然粉

1/8 茶匙粗盐

1 杯切成小块的红色圣女果和 / 或黄色圣女果

1/4 杯切碎的红洋葱

1 汤匙切碎的新鲜香菜

2 茶匙新鲜青柠汁

做法

1. 将烤箱预热至 220℃。将牛油果纵向切成两半，去除果核，挖出果肉，边缘留下约 1 厘米厚。把牛油果肉放在一边。

2. 将牛油果壳放入松饼杯。取一个小碗，将一个鸡蛋打入碗中。将蛋黄和适量蛋清倒入牛油果壳中，将其装满；丢弃剩下的蛋清。在牛油果壳中的蛋液上撒上孜然粉和盐。按此方法制作剩下的牛油果壳。烤 15 ～ 20 分钟，或至蛋白凝固且蛋黄开始变稠。

3. 制作莎莎酱。粗切牛油果肉。在一个小碗里，将切碎的牛油果、圣女果、红洋葱、香菜和青柠汁混合在一起。

4. 在烤牛油果蛋上放上莎莎酱。

午餐

扁豆花椰菜饭

时间：20 分钟

3 ～ 4 人份

原料

1 汤匙酥油

1 茶匙鲜姜末

1 瓣大蒜，切碎

1 茶匙咖喱粉

1/2 茶匙印度综合香料

1 包（250 克）蒸扁豆

3/4 杯鸡骨汤

3/4 杯椰奶

1/2 茶匙粗盐

1 个李子番茄，去籽切丁

1 大把菠菜苗，粗切

煮熟的花椰菜饭

做法

1. 在一口中等大小的锅中，用中火熔化酥油，加入姜和大蒜，翻炒 1 分钟。加入咖喱粉和印度综合香料。翻炒 30 秒至 1 分钟，直至香料散发出香味。

2. 加入扁豆、鸡骨汤、椰奶和盐，煮沸。加入番茄。转小火，慢慢炖 3 ~ 4 分钟至锅中汤量稍微减少。加入菠菜苗并搅拌。加热 2 ~ 3 分钟至菠菜苗熟透。

3. 淋在花椰菜饭上。

烟熏三文鱼沙拉

时间：15 分钟

4 人份

原料

1/2 杯自制蛋黄酱或符合要求的蛋黄酱，比如使用牛油果油制成的蛋黄酱

2 汤匙米醋或新鲜柠檬汁

2 汤匙切碎的新鲜莳萝

1/2 茶匙粗盐

1/8 茶匙现磨黑胡椒

140 克混合蔬菜沙拉

1 根黄瓜，切成薄片

2 块（110 克）无糖烟熏三文鱼或吃剩的熟三文鱼，切片

1/2 个小红洋葱，切成薄片

2 个煮熟的鸡蛋，切成楔形

1 汤匙沥干的刺山柑

切碎的新鲜莳萝或香葱（装饰用，可选）

做法

1. 制作调味酱。在一个小碗中将蛋黄酱、醋、莳萝、盐和黑胡椒搅拌在一起。

2. 在每个盘子上涂抹一些调味酱。在调味酱上放上混合蔬菜沙拉。把黄瓜片、三文鱼、红洋葱、鸡蛋和刺山柑放在沙拉上。撒上莳萝或细香葱。

自制蛋黄酱

将 1 个大鸡蛋（室温）、1/2 茶匙芥末粉、1/4 茶匙盐、1 茶匙新鲜柠檬汁和 1 茶匙苹果醋放入料理机中，搅打均匀。在料理机运行时，通过进料口缓慢加入 1 杯牛油果油或淡味橄榄油，搅打至混合物顺滑时即可停止。将做好的蛋黄酱存放在密封容器内，在冰箱中冷藏最多可保存 1 周。

红薯培根生菜番茄三明治

时间：40 分钟

4 份（每份 2 个三明治）

原料

三明治坯

3 个大的红薯，去皮（选择看起来最接近圆形的）

2 汤匙椰子油

1/4 茶匙粗盐

馅料

8 片无糖培根

3 汤匙自制蛋黄酱

1 个番茄，切成 8 片

8 片生菜叶

做法

1. 将烤箱预热至 200℃。取两个大烤盘，铺上烘焙油纸。

2. 红薯洗净，用干净的厨房纸巾擦干。从红薯最粗的部分切下 16 片 1 厘米厚的红薯片。在一个大碗里，把红薯片、椰子油和盐混合均匀。然后，将红薯片放入准备好的烤盘中。注意，红薯片不要互相叠在一起。烤 20 ~ 25 分钟，或至红薯片变软但仍可以盛放三明治馅料。

3. 在一口大煎锅中，用中火将培根煎约 8 分钟或至变脆。将培根移到厨房纸巾上，吸去油脂。将培根切成两半。

4. 组装三明治。将蛋黄酱涂抹在每片红薯片的其中一面。再在其中一半的红薯片上依次放上两片培根、一片番茄和一片生菜叶。最后盖上剩余的红薯片（蛋黄酱面朝下）。

晚餐

花椰菜核桃生菜卷饼

时间：35 分钟

4 人份

原料

1/2 杯晒干的番茄（不是油浸的）

2 杯花椰菜碎

1 杯核桃仁

1/4 杯葵花子

2 瓣大蒜，切碎

1 茶匙孜然粉

2 茶匙辣椒粉

1/2 茶匙烟熏辣椒粉

1/2 茶匙粗盐

8 片比伯生菜叶

1 个牛油果，切开、去核、捣碎或购买符合标准的牛油果酱

符合要求的莎莎酱

切碎的新鲜香菜

做法

1. 将烤箱预热至230℃。将晒干的番茄放入一个小碗里，倒入热水，盖上盖子，静置5分钟。取出番茄，沥干，浸泡番茄的水保留。

2. 将花椰菜、核桃仁、葵花子、番茄、大蒜、孜然粉、辣椒粉、烟熏辣椒粉和盐放入料理机，加入1汤匙浸泡过番茄的水，搅打至混合物变成豌豆大小的颗粒。将料理机中的混合物倒入一个有边烤盘中。烤20分钟或至花椰菜变软并且混合物变成褐色。

3. 将混合物放在生菜叶上，卷好；上面放牛油果碎（或牛油果酱）、莎莎酱和香菜。

姜蒜虾佐卷心菜

时间：30分钟

4人份

原料

4根中等大小的胡萝卜，去皮斜切

1个大的红甜椒，去籽并粗切

1汤匙橄榄油

粗盐

现磨黑胡椒

3汤匙椰子酱油

2茶匙香油

1汤匙磨碎或切碎的新鲜生姜

3瓣大蒜，切碎

450克中等大小的虾，去壳去虾线

1个小的卷心菜，切成丝

1/2～1杯符合标准的韩国泡菜，沥干

切碎的洋葱

烤芝麻

做法

1. 将烤箱预热至 200℃。取一个烤盘，铺上烘焙油纸。

2. 将胡萝卜和甜椒放入准备好的平底锅。淋上橄榄油，放入盐和黑胡椒，调味并搅拌均匀，翻炒 10 分钟。与此同时，在一个小碗里，将椰子酱油、香油、姜和大蒜混合均匀。

3. 将胡萝卜和甜椒推到锅边，放入虾和卷心菜，加盐和黑胡椒调味。淋上椰子酱油混合物，翻炒均匀后将锅中的食材倒入烤盘，铺上韩国泡菜。烤 10 分钟或至蔬菜变脆，虾不透明。

4. 食用时撒上洋葱和烤芝麻。

香蒜鸡肉佐番茄酱

时间：55 分钟

4 人份

原料

香蒜鸡肉

2 杯新鲜罗勒叶 *

1/4 杯松子

2 瓣大蒜，去皮并粗切

2 茶匙新鲜柠檬汁

1/4 茶匙粗盐

1 茶匙营养酵母（可选）

3 汤匙橄榄油

4 块去皮鸡胸肉

* 可用 1½ 杯嫩菠菜叶加 1/2 杯新鲜罗勒叶代替 2 杯新鲜罗勒叶

酱汁

1 汤匙橄榄油

1/2 杯切碎的韭葱（仅白色部分）

1 瓣大蒜，切碎

1 罐（800 克）去皮李子番茄，不沥干，切碎

粗盐

现磨黑胡椒

1/4 茶匙香醋（不添加甜味剂）

做法

1. 制作香蒜酱。在料理机中将罗勒叶、松子、大蒜、柠檬汁、盐和营养酵母（如果使用）混合物。搅拌至罗勒叶被切碎。在料理机运行的情况下，从进料口慢慢注入橄榄油至混合物变得顺滑。

2. 用保鲜膜将鸡胸肉包起来。使用肉锤的光滑面将其捶打至 0.5 厘米厚。每片鸡胸肉的中心放 1/4 的香蒜酱。将香蒜酱均匀地涂抹在鸡胸肉上，留下 0.5 厘米的边缘不抹。从窄端开始，将鸡胸肉卷起来。如有必要，用牙签固定。将鸡肉卷接缝面朝下，放在盘子中。

3. 在一个大煎锅中倒入橄榄油，用中火烧热，加入韭葱，翻炒 5 分钟或至韭葱开始变软。加入大蒜，再翻炒 1 分钟或至韭葱完全变软。加入未沥干的李子番茄，小火慢炖 5 分钟，时不时搅拌一下。用盐和黑胡椒调味。倒入香醋。放入准备好的鸡肉卷。盖上盖子，用中火炖 15 ~ 20 分钟或至温度计显示锅内温度为 70℃。

4. 食用时，如有必要，取下牙签。将鸡肉卷整个食用或切片，并用勺子倒上酱汁。

“八排除”方案食谱

早餐

牛排配红薯饼

时间：30 分钟

2 人份

原料

2 块（每块 140 克）肋眼牛排，1 厘米厚

1 个中等红薯，去皮切丝

2 根葱，切碎

6 汤匙橄榄油

粗盐

现磨黑胡椒

芥末蛋黄酱

2 汤匙芥末

2 汤匙素食蛋黄酱

1 茶匙切碎的香葱

1/2 茶匙新鲜柠檬皮

1/2 茶匙粗盐

1/8 茶匙现磨黑胡椒粒

做法

1. 将红薯和葱放入一个中等大小的碗中，混合均匀。淋上 3 汤匙橄榄油，用盐和黑胡椒调味，搅拌均匀。

2. 用中火将大铸铁煎锅加热。在热煎锅中加入 2 汤匙橄榄油。将红薯丝放入煎锅中 *，摊平，煎锅边缘留下 1 厘米空隙（红薯饼在烹饪时会变大一点儿）。煎 8 ~ 10 分钟，至红薯饼底部呈金黄色并变脆。将红薯饼翻面，如果需要的话，再加点儿橄榄油。再煎 4 ~ 5 分钟或至红薯饼底部呈金黄色并变脆。将红薯饼从锅中取出，放入一个大的有边烤盘，再将烤盘放入预热至 120℃的烤箱中保温。

3. 制作芥末蛋黄酱。将芥末、素食蛋黄酱、香葱、柠檬皮、盐和黑胡椒混合均匀。

4. 将 1 汤匙橄榄油倒入煎锅，用中大火加热。当油热时，放入牛排，每面煎 2 分钟。

5. 在牛排上抹上做好的酱料。将牛排与红薯饼一起上桌。

*用几根红薯丝试一下锅的温度，确保锅足够热；如果它们发出嗞嗞声，就说明锅烧热了。

素食蛋黄酱

将 1 个中等大小的牛油果，切开、去核、去皮，放入料理机，再加入 1/4 杯橄榄油、1 汤匙椰子油、1 汤匙苹果醋（或新鲜柠檬汁）、1/4 茶匙大蒜粉和 1/4 茶匙盐，高速搅打至混合物顺滑无颗粒。做好的酱放入密封容器中，在冰箱中冷藏最长可保存 1 周。使用前再次搅拌。

抱子甘蓝三文鱼

时间：30 分钟

2 人份

原料

3 片培根

1 根大葱，切成圈

1 袋（250 ~ 280 克）抱子甘蓝丝

1/2 个小苹果，去皮并切碎

1 ~ 1½ 杯熟的三文鱼片

1/4 茶匙粗盐

1/4 茶匙现磨黑胡椒

1 茶匙椰子酱油

1/2 个熟的牛油果，切开、去核、去皮、切丁

1 茶匙柠檬皮

切碎的新鲜莳萝、罗勒叶或平叶欧芹

做法

1. 将培根放入大煎锅中，用中火煎 5 ~ 8 分钟或至变脆，其间翻面一次。将培根转移到厨房纸巾上以去除油脂，冷却后切碎。煎锅中留下 1 汤匙煎培根出的油。

2. 煎锅加热，放入葱。翻炒 3 ~ 4 分钟或至葱变软。放入抱子甘蓝丝并翻炒均匀。盖上盖子，加热 2 分钟。打开盖，翻炒 3 分钟或至抱子甘蓝脆嫩。

2. 加入苹果和三文鱼片，用盐、黑胡椒和椰子酱油调味。翻炒 2 ~ 3 分钟或至三文鱼和苹果热透。

3. 上菜时撒上培根碎、牛油果丁、柠檬皮和莳萝。

午餐

鸡肉西葫芦汤

时间：30 分钟

4 人份

原料

450 克去皮鸡胸肉

3 汤匙橄榄油

1 个中等大小的黄洋葱，切碎

2 根芹菜，切段

1 根中等大小的胡萝卜，切丁

4 杯鸡骨汤

2 杯水

1/2 茶匙干百里香

1/2 茶匙粗盐

1/4 茶匙现磨黑胡椒

2 杯西葫芦丝

2 汤匙切碎的新鲜欧芹

做法

1. 用厨房纸巾吸去鸡胸肉上的水分。将 2 汤匙橄榄油放入平底锅中，用中大火烧热。放入鸡胸肉，煎 6 ~ 8 分钟或至鸡胸肉变成褐色，翻一次面（此时肉不熟）。将鸡胸肉转移到案板上并切丁。

2. 将剩余的 1 汤匙橄榄油放入平底锅中，用中火烧热。加入洋葱、芹菜和胡萝卜。翻炒 4 分钟或至洋葱开始变软。加入鸡骨汤、水、百里香、盐和黑胡椒。煮沸，放入鸡胸肉。盖上盖子，炖 6 ~ 8 分钟或至鸡胸肉熟透。加入西葫芦丝。盖上盖子，炖 1 ~ 2 分钟或至西葫芦丝变软。加入欧芹，搅拌均匀。

奶油莳萝虾饼

时间：30 分钟

2 人份

原料

沙拉

1/2 杯素食蛋黄酱

1 汤匙苹果醋

1/2 茶匙干莳萝

1/2 茶匙粗盐

现磨黑胡椒

4 杯预切丝混合蔬菜（卷心菜和胡萝卜）

1 根大葱，切圈

虾饼

220 克虾，去皮、去虾线、去尾

2 汤匙葛根粉

2 汤匙红洋葱丁

2 汤匙切碎的西芹

1 汤匙切碎的新鲜欧芹

2 汤匙素食蛋黄酱

1 汤匙新鲜柠檬汁

1/4 茶匙粗盐，额外准备一些

1/4 茶匙大蒜粉

现磨黑胡椒

1/2 杯椰子粉

2 汤匙酥油

柠檬块（可选）

做法

1. 制作沙拉。在一个小碗中将素食蛋黄酱、苹果醋、干莳萝、盐和黑胡椒混合均匀，制成调味酱。把蔬菜和大葱放在一个中等大小的碗中。淋上做好的调味酱，拌匀，冷藏。

2. 制作虾饼。用纸巾吸去虾中的水分，然后放入配有金属刀片的料理机中。启动机器，至虾被打成泥。将虾泥转移到一个中等大小的碗中，加入葛根粉、红洋葱丁、西芹、欧芹、素食蛋黄酱、柠檬汁、盐、大蒜粉和黑胡椒调味，拌匀。

3. 在一个小盘子上，将椰子粉与 1/8 茶匙的盐和 1/8 茶匙的黑胡椒混合均匀。将 1/3 杯的虾泥舀到一个单独的盘子中，用手整成饼，使虾饼表面沾满椰子粉。依次做好 4 个虾饼。

4. 将酥油倒入大煎锅，用中大火烧热。油热后把虾饼放入锅里。煎 3 分钟，然后小心地翻面，再煎 2 ~ 3 分钟。

5. 将虾饼与沙拉一起装盘，如有需要，可以搭配柠檬块一起食用。

晚餐

蒜香黄油龙蒿香煎扇贝佐芦笋沙拉

时间：20 分钟

4 人份

原料

芦笋沙拉

2 汤匙特级初榨橄榄油

4 茶匙新鲜柠檬汁

2 茶匙切碎的葱

1/8 茶匙粗盐

1/8 茶匙现磨黑胡椒

450 克芦笋

煎扇贝

450 克新鲜或冷冻扇贝肉，解冻

1/2 茶匙粗盐

1/4 茶匙现磨黑胡椒

1 汤匙橄榄油

3 汤匙酥油

2 瓣大蒜，切成薄片

1 汤匙新鲜柠檬汁

4 茶匙切碎的新鲜龙蒿叶

做法

1. 制作沙拉。在一个中等大小的碗中，将橄榄油、柠檬汁、葱、盐和黑胡椒混合均匀。使用蔬菜削皮器将芦笋擦成细丝。将擦好的芦笋丝与拌好的调料混合拌匀。

2. 用厨房纸巾吸去扇贝的水分，撒上盐和黑胡椒。将橄榄油和 1 汤匙酥油放入平底锅，中大火烧热。放入扇贝肉，煎 3 分钟或至扇贝肉底部呈金黄色。翻面再煎 2 ～ 3 分钟或至表面呈金黄色且几乎不透明。把扇贝肉转移到一个大盘子里。调成中火。

3. 将剩余的 2 汤匙酥油放入煎锅中，再放入大蒜和柠檬汁。翻炒 1 ～ 2 分钟或至大蒜变香呈金黄色。拌入龙蒿叶。将大蒜酱汁倒在扇贝上。与芦笋沙拉一起食用。

猪排

时间：40 分钟

4 人份

原料

1 杯红色或紫色无籽葡萄，一些切成两半

1/3 杯小型的卡拉马塔橄榄，一些切成两半

1 汤匙葱花

4 茶匙橄榄油

3/4 茶匙粗盐

2 块（340 ～ 400 克）肋骨或里脊，切成 3 ～ 4 厘米厚

1/2 茶匙胡椒粉

2 茶匙切碎的新鲜迷迭香叶

1/4 茶匙干百里香叶，压碎

做法

1. 将烤箱预热至 180℃。

2. 在一个小碗里，将葡萄、橄榄和葱花混合均匀，淋上 2 茶匙橄榄油，然后撒上 1/4 茶匙盐，搅拌至葡萄和橄榄均匀地裹上一层油和盐。

3. 用纸巾擦干排骨上的水分。将剩下的 2 茶匙橄榄油抹在排骨的表面；再将剩下的 1/2 茶匙盐和胡椒粉抹在排骨的表面。

4. 用中大火烧热大铸铁煎锅。油热的时候，放入排骨。当排骨两面呈焦黄色时，把葡萄和橄榄放入煎锅，放在猪排周围，撒入迷迭香叶和百里香叶。将煎锅转移到烤箱中，烤 15 ～ 25 分钟或至插入排骨中心的温度计显示 60℃。

5. 将排骨、葡萄、橄榄一起转移到上菜盘中。用锡箔纸覆盖。上菜前静置 3 分钟。

饮品

肠道调理奶昔

这款奶昔对肠道有调理作用。 我几乎每天都喝这样的奶昔。

原料

1 杯全脂椰奶

2 汤匙胶原蛋白粉

1 汤匙特级初榨椰子油

1/2 茶匙益生菌粉

1 茶匙去甘草酸甘草甜素

1 茶匙肌肽锌

1 汤匙谷氨酰胺粉

2 杯切碎的羽衣甘蓝

1/2 杯冷冻有机浆果

做法

将所有原料放入搅拌机中，搅拌至顺滑。

适应性肾上腺平衡奶昔

原料

4 颗巴西坚果（执行“八排除”方案的可忽略）

1 杯全脂椰奶

1 杯冷冻有机浆果

1 杯菠菜

1 茶匙南非醉茄粉

1 汤匙椰子油

1 汤匙玛咖粉

1 茶匙红景天粉

1 勺胶原蛋白肽

做法

将所有原料放入搅拌机中，搅拌至顺滑。

促甲状腺奶昔

这款奶昔能滋养甲状腺并改善其功能，还能减少身体的炎症。如果你正在使用内分泌系统的工具箱，这是一个很好的补充。

原料

1 杯全脂椰奶

1 勺胶原蛋白粉

1 汤匙特级初榨椰子油

1 杯混合蔬菜

2 颗巴西坚果

1 个牛油果

1 根西芹（去叶）

2 汤匙红皮藻

1 汤匙玛咖粉

1 杯有机冷冻浆果

做法

将所有原料放入搅拌机中，搅拌至顺滑。

强化 T 淋巴细胞功能的奶昔

这款奶昔强化 T 淋巴细胞功能，这些细胞是消除炎症的动力来源——用这款超级奶昔为它们提供支持。

原料

1 杯全脂椰奶

3 把绿色蔬菜

1 把冷冻浆果

1 茶匙黄芪

1 茶匙黑孜然籽油

1 茶匙猫爪藤

1 茶匙生可可粉

1 茶匙姜黄素

做法

将所有原料放入搅拌机中，搅拌至顺滑。

促性激素灵丹奶昔

这种富含优质脂肪和药草的奶昔，可以促进性激素的分泌。

原料

1 杯全脂椰奶

1 茶匙可可粉

1 茶匙刺毛黧豆

1 茶匙喜来芝粉

1/2 茶匙肉桂粉

做法

用搅拌机将所有原料混合均匀。倒入平底锅中，用中火加热 3 ～ 5 分钟。

美肤拿铁

蓝绿藻和螺旋藻含有一系列独特的抗氧化剂，不仅可以减少炎症，还可以保护你的细胞，能使你看起来更年轻，身体更有活力。

原料

1 杯全脂椰奶

1 茶匙蓝绿藻粉或螺旋藻粉

1/2 茶匙肉桂粉，多备一些装饰用

1/2 茶匙有机香草

做法

将除肉桂粉外的所有原料放入平底锅中，拌匀，加热至温热。倒入杯子，在上面再撒上肉桂粉。

亮肤薰衣草滋补饮

珍珠是美容之王。它含有丰富的氨基酸，可以滋养你的头发和指甲，并提亮你的肤色。此外，薰衣草有助于滋润肌肤。

原料

1½ 杯水

1 茶匙柠檬汁

1 茶匙珍珠粉

2 ～ 3 滴薰衣草精油（一定要买可食用的）

做法

在水中加入柠檬汁、珍珠粉和薰衣草精油，混合均匀。

抗炎姜黄牛奶

姜黄非常适合消除炎症。当与椰奶等脂肪和黑胡椒等香料混合时，它的好处会被放大。生姜是另一种很好的抗击炎症和修复肠道的工具。这款饮料非常适合上午饮用，但我也推荐你将它作为晚间饮品，特别是如果你习惯晚上吃零食的话。

原料

1 杯全脂椰奶

1 茶匙姜黄

1/2 茶匙肉桂粉

1/4 茶匙姜粉

一小撮黑胡椒

做法

在搅拌机中充分混合所有原料，将其倒入平底锅中，用中火加热 3 ~ 5 分钟。